¡Vale, buenas noches!

Jory John y Benji Davies

Publicado por primera vez en inglés por HarperCollins Children's Books, un sello de HarperCollins Publishers, con el título *Goodnight Already!*

Texto © Jory John 2015
Ilustraciones © Benji Davies 2015
Traducción: Anna Llisterri
Revisión: Tina Vallès

© de esta edición: Andana Editorial 2016
C. Valencia, 56. Algemesí 46680 (Valencia)
www.andana.net / andana@andana.net

ISBN: 978-84-16394-30-2
Depósito legal: V-2111-2016
Impreso en Grafo

Para mi madre, Deborah John, una enamorada de los osos, quien no deja de recordarme que tengo que dormir lo suficiente. Y también para mi amigo y agente Steven Malk, que suele enviarme numerosos mensajes de texto hacia la medianoche. Y para Alyssa, siempre.

—Jory John

Este libro es para Nina. Gracias por la inspiración provocada por el insomnio de donde salió este cuento. Y gracias también a Kirsten, que organizó todo el tinglado.

—Benji Davies

101
MANERAS
DE QUEDARS
DESPIERT

—Nunca había estado tan cansado. Podría pasarme semanas durmiendo. ¡Hasta meses!

-Estoy más despierto que nunca. ¿Qué estará haciendo mi amigo Oso?

–Qué sueño tengo. Ya está... Sí...

-¡Oso! ¡Soy yo!
¡Pato! ¡Abre la
puerta!
¡Venga!

–¿Qué ocurre, Pato?
Estaba durmiendo.

–¡Hola! ¡Me aburro!
¿Hacemos algo juntos?

-¿Quieres jugar a
las cartas?
-No.
-¿Y ver una peli?
-No.
-¿Y montar un grupo?
-No.
-¿Y preparar batidos?
-No.

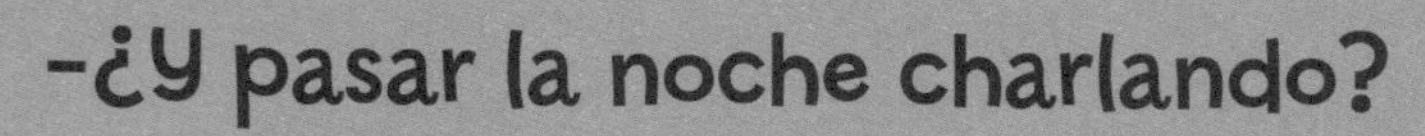

-¿Y pasar la noche charlando?

-No.

-¿Y jugar a las cartas?

-Eso ya lo
has dicho antes.

-¿Y leernos libros en voz alta?

-No.

-Sí, ya.

–Ah. Mi cama. Qué bien.

–Casi... dormido...

—¡Pst! ¡Oso! ¡Soy yo, Pato! ¡Tu vecino!

–¡¿Qué?!

–Quiero hacer galletas. ¿Me prestas un poco de azúcar?

–No.

–¿Y mantequilla?

–No.

-¿Y harina para hacer la masa?

-No.

-¿Y sal?

-No.

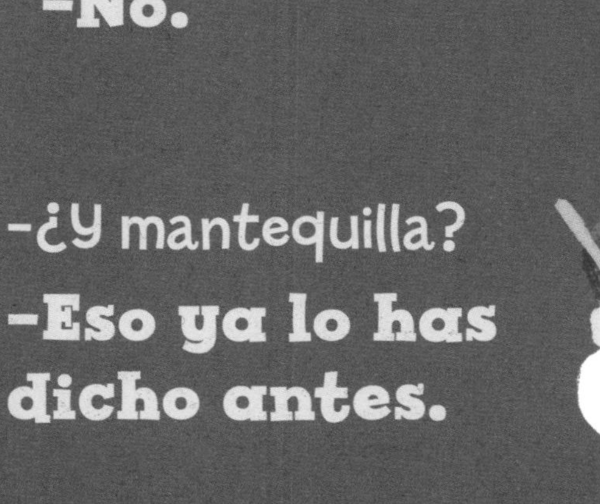

-¿Y mantequilla?

-Eso ya lo has dicho antes.

-Entonces, ¿me das algunas galletas?

-No.

-¡Vale, buenas noches!

–Ese pato... ¡no para de molestarme!...
Tendré que buscarme otros vecinos...

... Pero luego... estoy demasiado
cansado... necesito dormir.

¡AAAAHHHHHH!

–Pero ¡¿qué diantre...?!
–He usado la llave que me diste.
–¡Era para emergencias!
–Esto *es* una emergencia.
OSO

–¡¿Qué?!
¿Qué pasa, Pato?
¿Dónde está la emergencia?
OSO

–Me he dado un golpe
en el pico, ¿lo ves?

–¡Pato! Basta ya de despertarme.

¡fuera de aquí! ¡AHORA!

–Pero...

—¡HE DICHO QUE BUENAS NOCHES!

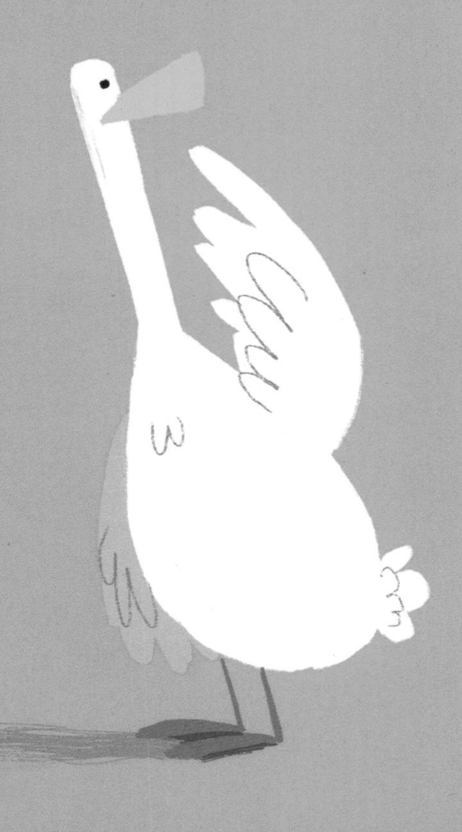

-¡Buf, este Oso es muy gruñón!
Empiezo a estar cansado de
tanto malhumor.

—Hace mucho,
mucho tiempo,
había un...
había un...

–Estoy más despierto que nunca.